사/랑/은/ 서/툴/고/ 이/별/은/ 낯/설/다

내 기억도 사랑이기를

강문석 지음

BOOKK

내 기억도 사랑이기를

발 행 | 2024년 2월 13일
저 자 | 강문석
펴낸이 | 한건희
펴낸곳 | 주식회사 부크크
출판사등록 | 2014.07.15.(제2014-16호)
주 소 | 서울특별시 금천구 가산디지털1로 119 SK트윈타워 A동 305호
전 화 | 1670-8316
이메일 | info@bookk.co.kr

ISBN | 979-11-410-7145-5

www.bookk.co.kr

내 기억도 사랑이기를

강문석

2024

내 기억도 사랑이기를

차례

제1부 사랑

제2부 계절

제3부 삶의 흔적들

제4부 기억의 습작

제1부 사랑

사랑은
경이롭다
그게 언제이든

운명처럼

순간순간 우리의 사랑은 시가 되고
함께 지나온 길은 소설이 된다
삶이 그러하듯이
그대와 나의 사랑은 그 자체로도 의미 있다
함부로 마주하지 못한 미지의 세계를
우리는 함께 여행하며
그 속에서 희로애락을 느끼며 살아온 세월
누가 먼저랄 것도 없이
설레는 느낌으로 마주 잡은 두 손을
이젠 놓지 않으련다
우리의 삶이 깊어갈수록
떠오르는 태양보다
석양에 타는 저녁놀이 더 아름다워 보이는 것은
우리의 사랑도 저 노을처럼 한낮의 뜨거움을 견디고
차가운 바람을 이기고 찾아온 성숙함 때문이리라
누가 뭐래도 거부할 수 없는 운명의 끈을 놓지 않은
우리이기에 지금 이 순간도
우리는 함께이다

그대에게 가는 길

고단한 하루 끝에 나도 모르게 살짝 미소 짓게 하는
그대에게 가는 길
어둠이 내려앉은 거리에는 환한 불빛들이 스쳐 지나고
창문 열고 맞이하는 바람조차 감미롭다
정류장마다 내리는 사람들은 잰걸음으로 달리고
달리는 차 창 밖으로 그대 눈썹 같은 달이
줄곧 앞에 걸려 가는 길을 밝혀준다
그대를 생각하며 가는 길은
언제나 설레고 행복이 가득하다

그 계절에 만난 사랑

초록이 길을 비추고
푸른 하늘 우리를 감싸던 눈부신 날
그대와 걷던 그 길가에 꽃잎들 내려앉아
속삭이던 우리의 사랑에 발그레 물들고
살랑이는 바람조차 수줍은 듯 지나던
그대를 바래다주던 길

가로등 불빛에 흩어진 비는
무지갯빛으로 내리고
우산 속 짧은 속삭임에 숨이 멎고
운명 같은 우리의 사랑은 시작되었네
수십 번의 계절이 바뀌고 다시 찾아오면
두근거리는 마음 들킬까 잠시 앉아있던
버스 정거장에 우리를 본다

도란도란 얘기하며 거닐던 운동장에
낙엽 떨어지는 거리의 벤치에
손깍지 끼며 발걸음 옮기던 그 길가에

수줍은 듯 고개 숙이며 발끝만 바라보던
젊은 날의 소녀는
수십 번의 계절이 바뀌고 다시 오늘이 찾아와도
언제나 변함없는 따뜻한 사랑을 주고
헛헛한 내 인생에 빛나는 별이 되었네
오늘도 그 별은 내게서 반짝이네

잠 못 이루는 밤

오늘도 새벽에 잠을 깨고
여전히 꿈속에서도 이 복잡한 상황을 마주한다
꿈과 현실을 넘나드는 그대에 대한 나의 생각은
제발 아픈 이별은 일어나지 말라는 간절함으로
한 가지 기도만 되풀이한다

차가운 그대의 말이
더욱 아프게 다가오는 것은
미완의 사랑에 대한 허무함 때문이고
예정되어 있는 슬픈 그리움 때문이리라

응답없는 기도는 내 입술에 머물고
속절없이 어둠은 걷혀만 간다
슬픔과 함께 지샌 별들은
빈 나뭇가지마다 졸고 있다

어떤 의미가 되고 싶다

나는 너만의 꽃이 되고 싶다
가슴에 화안히 안기어
고운 미소 짓게 만드는 그런 꽃이 되고 싶다

나는 너만의 별이 되고 싶다
외로워 쳐다보면
너의 마음 위로하듯 반짝이는 그런 별이 되고 싶다

나는 너만의 달이 되고 싶다
그리운 밤 못 잊어 하늘 보면
계수나무 토끼 찾아 함께 보았던 그런 달이 되고 싶다

나는 너만의 바람이 되고 싶다
고운 미소 짓는 입가에
살포시 내려앉아 꿈을 꾸는 그런 바람이고 싶다

그렇게 나는 너의 무언가 되고 싶다
너도 나에게 이 모든 의미인 것처럼

그대를 사랑합니다

천만번 고백하고 고백하여도
그것만으로도 부족하지만
그래도 그대를 사랑합니다
이렇게 비 내리는 아침 그대를 생각하며
사랑의 문자를 보내놓고도
마음이 휑한 것은 그것만으로도
충분하지 못한 때문이겠지요.
빗물에 씻겨 내리는 송홧가루처럼
내 마음의 욕심과 미혹됨이
깨끗이 씻겨내려 오로지 당신을 사랑하는 마음만이
빛나게 되기를 소망합니다
그대를 사랑한다
자꾸자꾸 말하면
내 사랑 가벼워질까
아껴 부르고 싶지만
그래도 그대를 사랑합니다

그대를 생각하면

그대를 생각하면 눈물이 납니다
행여나 마음 아파할까 말하지 못했던
그대 마음속에 묻은 수많은 사연들
그대가 건네준 편지 속에 빼곡히 적혀있던
나를 향한 사랑을 알고 난 후는
이미 늦은 때 이었음을 알았습니다

그대를 생각하면 눈물이 납니다
진정 사랑하는 것이
그대를 떠나보내 여야만 했던 것임을 알면서도
사랑의 끝이 서로가 아파해야만 하는 것임을 알면서도
나를 사랑했던 그대를 생각하면 가슴이 아파옵니다

이렇게 아픈 줄 알면서도
서로가 애절하게 그리워하면 안 되는 줄 알면서도
바보같이 나는 또 그대와 들었던 노래를
그대와 걸었던 그 길을
환하게 웃으며 반겨주던 그 미소를 떠올립니다

진정 그대를 사랑했으면서도
사랑한다고 말하지 못했던
나를 용서하세요.
그대를 가질 수 없었기에
나의 욕심이 그대를 구속하는 것임을
알기에 아껴두었던 말임을 고백합니다

그대 떠나고 텅 빈 가슴에
이제야 마음껏 말해봅니다.
널 사랑해...사랑해...
그대를 생각하면 눈물이 납니다.
지금도 그대를 사랑하는데….

마지막 사랑

이제 더 이상 그 누구도 사랑할 수 없을 것 같다
더는 그 아픔을 감당해낼 자신이 없고
나의 욕심으로 어느 누구도 힘들게 할 수 없기에,
애써 웃음을 보이며 아픔을 감추려 하지만
눈가에 고인 작은 슬픔까진 숨기지 못한다
애써 성숙한 척 경험 있는 듯 이별을 말해보지만
그 떨리는 속마음까지 감출 순 없는 것 같다

나의 슬픔에 슬픔을 더한들
네가 느끼는 아픔보다 더 할 수 있을까
내가 줄 수 있는 사랑에 사랑을 더한들
네가 그 안에서 진정 행복할 수 있을까
나의 사랑은 이제 너무나 이기적이고
너에게 행복보다는 아픔을 주는 사랑이고,
기쁨보다는 슬픔을 안겨주는 사랑이기에
이젠 더 이상 사랑하지 않으려 해.
아니, 어느 누구도 이젠 사랑할 자신이 없다
넌 나의 마지막 사랑이야….

당신이 행복했으면

당신이 나 때문에
행복했으면 좋겠습니다
나로 인해 작은 미소라도
지을 수 있으면 좋겠습니다

설령 살아가는데
큰 의미는 아니지만
한 가닥 작은 웃음이라도
될 수 있다면 좋겠습니다

오늘 하루 힘들고 지칠 때
스스럼없이 전화해 하소연할 수 있는
그런 사람이면 좋겠습니다

사는 동안 내가 있음을 기억해 주고
그 순간만이라도 기쁨이 되면
더없이 좋겠습니다

누군가를 향한 그리움으로
서성이던 당신 마음이 내 곁으로 와준다면
나 그대를 위해 따스한 차 한잔을
준비하겠습니다

언제부턴가 당신 가슴에
안개꽃처럼 쌓인 그리움이 있다면
가끔은 내가
당신의 가슴에 희미하게 번지는
그리움이었으면 좋겠습니다

고단한 삶의 여정에서 가끔은
내 생각만으로 미소지며 행복해하는
당신이었으면 좋겠습니다

당신이 나 때문에
행복했으면 좋겠습니다

진실된 사랑

당신의 눈 속에 진심이 담겨 있습니다
뭐라 말을 하지 않더라도
당신의 눈을 바라보고 있노라면 알 수 있습니다
그 눈에 반했습니다
처음에는 느끼지 못했지만
당신을 알아 갈수록
그 눈빛이 진실되고 한결같음을 느낍니다
오늘, 사랑을 알았던 그날처럼 당신의
눈빛을 다시 보았습니다
비록 그동안 오랜 세월이 흐르고
변함없이 느껴지던 사랑이
이처럼 강렬하게 온몸을 떨게 하는 전율로
다가오는 이 시간
당신의 사랑이 고스란히 느껴집니다

내가 사랑하는 당신,
나를 사랑해 주는 당신,
오래도록 당신의 두 손 마주 잡고

정겨운 눈빛으로 서로를 보듬으며
함께 있고 싶습니다
따듯한 가슴으로 당신을 안고 토닥이며
사랑한다 말해주고 싶습니다
마주 보는 눈빛만으로도 이렇게 행복한 것은
내가 사랑하는 당신,
나를 사랑해 주는 당신의 그 아름다운 진심 때문입니다
거짓 없는 당신의 눈빛이
나는 정말 좋습니다
따듯한 당신의 가슴처럼 내 마음도 따듯해집니다
당신의 눈을 보고 있으면
오늘은 정말 행복한 밤입니다
당신을 이렇게 사랑할 수 있어서,
당신의 빛나는 눈빛을 가슴에 담을 수 있어서

당신이 사랑하는 사람

길을 걷다가 문득 손을 잡고 같이 거닐고 싶은 사람은
당신이 사랑하는 사람입니다
하늘거리는 가을 코스모스를 보며 불현듯 생각나는 사람은
당신이 사랑하는 사람입니다
라디오에서 흘러나오는 익숙한 노래에 떠오르는 사람은
당신이 사랑하는 사람입니다
마음이 아프고 힘들 때 두 눈 바라보며 안기고 싶은 사람은
당신이 사랑하는 사람입니다
고요한 밤 문득 술에 취한 목소리라도 듣고 싶어지는 사람은 당신이 사랑하는 사람입니다
그렇게 온종일, 순간마다 떠오르고 생각나는 사람
그 사람은 당신이 사랑하는 사람입니다
당신에게 그런 사람이 꼭 나였으면 좋겠습니다

내가 사랑하는 그대에게

난 그저 그대를 바라볼 수 있는 그것만으로도 좋았습니다
그저 가끔 저 멀리서 들려오는 그대의 목소리에도
가슴이 벅차올라 행복했습니다

비 오는 날, 음악처럼 울려 퍼지는 빗소리에 그대를 사무치게 그리워하고
햇살 좋은 날에는 파란 하늘을 보며 환하게 웃는 그대를 생각했습니다
바람 불면, 그 바람에 그대의 향기 전해올까 나도 모르게 눈을 감고 꿈을 꾸게 됩니다

누군가를 이토록 생각하고 그리워하는 것이,
이리도 큰 기쁨이란 걸 그대로 인해 알았습니다
그대는 나의 기쁨입니다. 그대는 나의 행복입니다
그대는 나의 사랑입니다
오늘도 그대 때문에 세상이 아름답습니다

그래, 그럴 때가 있는 거야

하루하루가 너무 힘들게 느껴질 때가 있지
세상에서 나 혼자만이 어두운 터널 속에 갇혀 버린 듯한 답
답한 마음, 도저히 감당할 수 없는 슬픔과 아픔 앞에
버티고 있는 것조차 힘들고,
생각하는 것조차도 싫어질 때.
그냥 혼자라도 엉엉 울면서 눈물이라도 흘릴 수 있다면
속이라도 시원할까?
그럴 때가 있는 거야.

맑은 푸른 하늘만 있는 게 아니듯이
때론 흐려지다가 천둥이 치고
그러다 소나기도 내리고
초목을 휩쓸듯이 거센 폭풍도 치는 것이지
그래 살아가는 것도 마찬가지야
때론 힘들고 외롭고 두렵고 고통스럽더라도
그럴 때는 그냥 생각해
그래, 그럴 때가 있는 거야.

천둥이 지나가면 다시 하늘은 맑아질 거고
소나기 그치면 새들이 공중을 날고
거센 폭풍이 사라지면 다시 잔잔해지듯이
이렇게 힘들 때가 지나면
웃을 수 있을 거야.
그렇게 우린 강해지는 거야
항상 기억해
그럴 때가 있는 거라고,
그래 그럴 때가 있는 거야.

어느 하루

어제부터 그댈 무척 보고 싶었지만
오늘마저 볼 수 없다면
내일은 그리움에 울어버릴지도 몰라요

사무치게 그리울 때
그대 숨소리라도 듣고 싶지만
내 욕심인가 싶어 허공으로 날려 보내고

어둠이 짙게 드리운 밤
텅 빈 마음 서러워
먼 하늘 별빛이 눈물로 흐르네요

사랑은 언제나 봄이다

오늘도 변함없이 해가 뜨고
내 눈에 보이는 세상은 어제와 다름없는데
그대 향한 그리움은 어제보다 깊어만 갑니다
누구에게나
세월은 거스를 수 없는 필연이지만
언제나 그러하듯이 다시 새봄이 찾아오고
우리의 사랑도 세월의 나이테처럼 자라만 갑니다.
지나온 날들의 아픔과 상처는 더 강한 믿음이 되고
슬픔과 상심은 그 크기만큼 단단한 사랑이 되어 갑니다
오랜 세월 변함없이 나의 사랑이 되어
내 곁을 지켜준 그대
이렇게 다시 찾아온 봄날
활짝 핀 첫 목련을 닮은 싱그러운 그대 미소에
향기 가득한 봄바람처럼 마냥 행복해집니다
오늘도 그대가 눈물 나게 그립습니다
그 그리움 내 온몸에 퍼져 나도 봄처럼 다시 태어납니다
우리 사랑은 언제나 봄입니다

오늘도 그날처럼

바람이 싱그럽다
바람이 불 때마다 새어 나오는 햇살이 눈 부시고
불어오는 바람마다 꽃향기 한가득
이렇게도 아름다운 날에
너를 생각하는 것은 더 없는 슬픈 행복이다

잊을 수 없는 우리의 사랑 얘기들
서로의 마음 뒤로한 채
환한 웃음 애써 보이며 돌아섰지만
그대의 맑은 음성 들리는 듯
뒤돌아보면 아련한 그대 향기만이 바람에 실려 오네

오늘도 그날처럼
하늘은 푸르고 눈 부신 햇살과 싱그러운 바람
변함이 없건만
세월은 흘러 아무 기억도 없이
그대의 환한 미소만이 맴도네

또 언젠가 이렇게 눈부신 날이 찾아오면
문득 그날이 다시 생각날까
어디에선가 너도 나처럼
한 조각의 그리움 간직한 채
그날들을 생각하겠지, 서로 사랑했던 날을

너와 함께한 모든 시간

너의 숨결처럼 따스한 바람이 불고
눈 부신 햇살 되어 내리면
너와 함께하는 이 시간들이
마치 꿈속처럼 행복하기만 하다
겁 없이 시작된 사랑은
평범했던 나의 일상들을
너의 생각으로 물들어 버리고
사랑이 이렇게 찬란할 수 있음을 알게 해준 사람

가끔씩 일렁이는 알 수 없는 두려움에
함께한 눈부신 젊음의 모든 시간들이 기억되기를
간절한 마음 담아 두 손 모으고 기도해
살다가 마주치는 많은 인연 속에서
주름져가는 모습까지도 사랑이라며
처음 사랑 끝까지 함께 하겠다고,
그래서 우리 삶은 따뜻했었다고 말해줄
나의 단 한 사람, 모든 것이 행복이었다

그대는 알지 못한다

그저 바라보는 것만으로도
좋아지는 사람이 있다
그래서 가끔 그 사람의
환한 웃음을 찾아보곤 한다

그저 그렇게 바라만 보아도 좋을 사람
날 위해 짓는 미소는 아닐지라도
그로 인해 행복해하는 한 사람이 있음을
그대는 알지 못한다
내가 사랑하고 있음을

사랑+사랑=사랑

사랑했고
사랑했다.
너는 나에게
사랑이다.

너로인해

넌 참 좋은 사람이야
너를 만날 때마다
난 더 좋은 사람이 되게 만들어
넌 그렇게 날
매일 멋진 사람으로 만들어줘

난 행복합니다

누구나 마음속 추억을 안고 살지만
그대와 함께 만들어 걸어가는 인생길은 외롭지 않습니다
누구나 마음 한켠에 안고 사는 그리움이지만
그대를 그리워하는 마음조차 행복합니다
내 속에 그대는 언제나 따듯한 미소 지으며
지쳐있는 나에게 기댈 수 있는 유일한 사람입니다
언제나 그 자리에 그대가 있다는 것만으로도
세상은 즐겁고 포근해집니다
새벽안개처럼 뿌연 길을 걷다가도
햇살이 떠올라 물안개 걷히듯
힘겨웠던 내 삶에 동행해 준 그 사람이 있어
삶이 고독하지 않습니다
언제나 나를 바라보던 빛나던 눈동자
말없이 내어주던 그대의 작은 어깨가 있어
한없는 위로를 받습니다
하루하루 그렇게 지나는 세월이지만
날마다 무르익어가는 우리의 사랑이 있어
내 삶은 더 의미가 있습니다

내 마음속 언제나 다정한 그대가 있어
찬 바람 옷깃을 여미는 이 계절에도
난 쓸쓸하지 않습니다
그 사람과 함께한 모든 순간이 인생의 큰 축복이었음을
감사하며 오늘도 내 삶에 마음 고운 그 사람이 있어
난 행복합니다

그대만의 시인

그대를 생각하는 마음을 적시어
이렇게 쓰다 보면
그대만을 위한 시(詩)가 되지 않을까요
그렇게 멋진 문장은 아니어도
단어 하나
추억 한 잎
사랑 한 스푼
담고 담다 보면 그 시간만큼은
온통 그대 생각에 행복해지고
그 마음은 어느새
한 줄의 문장으로 태어나고
하나의 문단이 되고
엽서 한 장 가득 채울 만큼의 달콤한 시가 됩니다
나 오직 마음 착한 그대와 함께 나눈
사랑의 시를 쓰고
그대와 함께할 이 세상의 마지막까지
우리의 사랑을 빼곡하게 새기는
나는 그대만을 위한 시인이 되고 싶습니다

사랑도 그랬으면

내가 너를 사랑하면 할수록
너도 나에게 한없는 사랑을 주었지
가끔은 네가 준 상처로 고통을 받기도 했지만
그만큼 나를 더 멋지게 성장시켜 주었지
너와 함께 밤낮없이 많은 시간을 보낼수록
점점 자라나는 나를 보았고 흐뭇했다
때론 힘겨워 인상을 찌푸리며 너를 대하고
숨이 차올라 아무것도 할 수 없을 만큼 힘들었지만
그래도 나는 너를 미워할 수 없었지
그건 너의 잘못이 아니라, 나의 오만이었으니까
그렇게 서로를 토닥이며 지켜온 우리의 만남은
나를 여유 있게 만들어주고 자신감이 넘치게 해
나에게 주는 고통이 사랑이고, 그 사랑이 나를 더욱 멋지게 만들어주리라는 걸 난 잘 알아
그 고통의 시간 속에서 나는 희망을 찾고 기쁨을 찾았어,
너는 언제나 나를 자랑스럽게 만들어주는구나
나의 사랑도 그랬으면 좋겠다
(헬스장에서)

그대 기다릴게요

추억의 그 순간
다시 떠오르는 내 사랑
아, 얼마나 그리웠던가

봄바람 환하게
창밖 꽃잎 홀연히 날리는
푸른 날이여

다시 만난다면
더는 이별하지 않겠어.
그대, 어디에 있나요?

쪽빛 하늘에
구름처럼 기억이 흐르고
그대, 기다릴게요

그 시절의 우리

우연히라도 가지 않으려 했어.
너와 함께 했던, 둘만의 기억들이
힘들게 할 걸 알기에
아직도 내 마음속에 넌 항상 그 자리에 있는데
난 더 가까이 다가갈 수 없었어

추억을 그리워해 그리움이 추억이 되고
그냥 그렇게 머물고 싶어질까 두려워져
누가 떠난 것도 떠나보낸 것도 아닌데
어설픈 이별을 하고 난 후
그 후회가 시간을 탓하기엔 우린 너무 어렸었나 봐

언젠가 찾아간 그 자리엔
둘이 걸었던 정겨운 작은 골목길도
널 마주했던 희미한 불빛 가로등도
시간 속에 흔적 없이 사라져 버리고
그때 그 자리에서 날 반기며 환하게 웃어주던
너의 기억만이 날 더 슬프게 하더라

이젠 정말 다시는 널 볼 수 없겠지
어디에서 너도 나처럼 그 계절을 생각할까
아무런 계산이 없었던
둘만으로도 충분했던
결코 잊을 수 없는 시절의 우리

상대성원리

너 떠난 뒤 알게 되었네
하루가 이리 긴 것을

널 보낸 후 알게 되었네
눈부시게 푸르른 날이 슬픔인 것을

꽃이 진다고 널 잊을까
그 꽃이 피면 너도 함께 피어나고
밤이 찾아오면 잊었던 기억마저 더 생각날 텐데

사랑 그리고 이별

사랑 같지 않은 사랑이 어디 있으랴
세련되지 못한 소박한 사랑도
가슴 벅차오르고 이토록 설레는데

이별 같지 않은 이별이 어디 있으랴
떠나가는 그 어떤 인연에도
명치끝이 이토록 아려오는데

사랑하고 이별하는 것이
뜻대로 되는 것도 아니지만
사랑은 서툴고, 이별은 낯설다

사랑이 아름다웠다고
이별 또한 아름다울 수 있을까
이별이라는 단어조차 아프다

그리운 날

눈부시게 밝은 햇살
파란 하늘에 떠가는 뭉게구름
산들바람에 흔들리는 나뭇잎
어느 하나 그댈 닮지 않는 게 없네

얼굴에 스치는 간지러운 바람에
그대의 손길 느껴지고
하늘에 떠가는 구름에서도
그대의 순수함에 피어오르네

오늘처럼 푸르른 날에는
그대가 더욱 그리워지네

일상의 행복

그대를 볼 수 있다는 것만으로도 행복입니다
스치듯 들려오는 그대 목소리도 반가웠습니다
비 오는 날이면 우산속 둘이 걸었던 그날을 그리워하고
햇살 좋은 날에는 싱그런 그대 얼굴 떠올립니다
바람 불면 그 바람결에 실려 온 그대 향기로
가슴이 벅차옵니다.
꽃피는 그 계절 다시 오면 그대 생각 같이 피고
낙엽 지면 손깍지 끼고 걸었던 그 길을 걷고 싶습니다
어디서든 누군가를 그리워하고 기다리는 것이
이리도 가슴 벅찬 기쁨이란 걸 그대로 인해 알았습니다
그대는 나의 행복
그대는 나의 사랑입니다

제2부 계절

너와 함께한
계절은
언제나 다시 오지만

가을, 그 완벽한 계절

나는 보았네
그대와 같이 거닐던
길모퉁이에 핀 코스모스
지나는 바람에 인사하듯
흔들리는 몸짓으로 정겹게
나를 반기네

나는 걸었네
그대와 같이 수줍은 듯 손잡고
가을바람 출렁이면
발그레진 얼굴로 미소 짓던
그대 닮은 코스모스 길을

그 길, 그 바람, 그 꽃
그리고 그대
그래, 완벽한 가을이다

봄비

촉촉한 봄비가 내립니다
마음은 벌써 초록의 봄이 느껴지고
얼마 남지 않은 겨울을 보낼 채비를 합니다

그대 마음 나와 같지 않을까 하여
애써 그대에게 전화 걸고 싶은 마음을 달래봅니다
여기에 내리는 비는
그대 머무는 곳에도 내리겠지만
내 마음에 내리는 그리움은
그대에게 닿지 않는 듯합니다

차라리 한줄기 비라도 되어
그대 머무는 창가에라도 닿을 수 있다면
수줍은 듯 고개 드는 풀빛 사랑에
찬란한 물 한 방울 되어도 좋겠습니다
이제 우리의 사랑도 새롭게 자랍니다

봄이 머지않은 까닭입니다

프리지어 1

그대 닮은 꽃 한다발 선물했지요
그 꽃을 보면 아련한 추억이 생각나고
그 향기가 그대 얼굴에 미소 짓게 하고
그 상상만으로도 난 행복합니다

수줍은 듯 살짝 고개 내민 노오란 꽃잎은
향기로운 미소처럼 날 설레게 하고
그대 생각에 언제나 내 마음은 따듯한 봄날입니다

나 떠난 그 자리에도
예쁜 꽃병에 정성스레 담긴
그 향기, 고요 속에 퍼져
잠시라도 나를 생각해 준다면 더없이 기쁘겠지요

그 댈 보면 그 꽃이 생각나듯
그 꽃향기에 나를 생각한다면
그것은 프리지어 향보다 더 진한
우리의 사랑입니다

너무나 좋은 봄날

너무나 좋은 날입니다
하루하루가 가슴 뛰는 날이지만
오늘 문득 벅찬 행복에 더없이 기쁜 날입니다

환한 햇살과 푸른 하늘
유유히 흐르는 저 하얀 구름과
초록의 잎새들과 색색의 꽃들이
봄의 향연을 느끼게 합니다

어디선가 향긋한 바람이 불어옵니다
봄과 여름 사이 그 어딘가에 있는 오늘은
정말이지 행복한 날입니다
당신이 곁에 있다는 이유만으로

내 눈에 가득한
이 모든 평화와 행복을
당신도 온전히 느끼길 원합니다
왜냐하면

이 모든 것들은 당신으로 인해
더욱 빛이 나고,
내가 우리가 존재하는 이유니까요

나무

무슨 말을 하는지 연신 고개를 흔들고
곰살맞던 너는 폴짝폴짝 뛰며 춤춘다

그냥 지나쳐 가지도 않고
숨길 수 없는 너의 몸짓에
창밖으로 넌지시 바라보는 나는
너희들의 유희가 마냥 부럽기만 하구나
누가 먼저 허락을 했는지 모르지만
어느새 너는 모든 것을 포용하고
그것이 자연의 섭리인 것을 깨달았구나
항상 변하지 않고 자리를 지키고 있는 너는
묵묵히 아픔을 참고 있는 너는
이미 알고 있었구나. 이 모든 고뇌를,
그리고서야 찾아오는 안식을,
시나브로 지칠 때면 이젠 나에게도 보내 주렴아

봄

봄이 오려나 보다
창밖 지저귀는 새소리 정겹고
바람이 훈훈하다
아니,
봄을 기다리고 있나 보다

프리지어 2

노오란 프리지어 한 다발을 너에게 줄 때
나는 봄이 왔음을 느낀다
그 꽃만큼이나 환한 너의 웃음이
나에겐 봄이다
이제 봄이 왔다
내게도.

설렘 주의

너는 나를 설레게 한다.
꽃향기 안고 나에게 다가온 너

봄도 나를 설레게 하지만
이 봄에 찾아온 너는
나를 더욱 설레게 한다

바람이 분다
네가 그립다

벚꽃

벚꽃을 보는 것이 좋은 게 아니라
벚꽃을 보며 환한 미소 짓는 너를 보는 것이 좋은 거야
너와 함께 손잡고 걸었던 이 벚꽃길이
그래서 더 설레고 행복한 거야
벚꽃 때문이 아니고
바로 너와 함께하기 때문에

번민

창문 밖에 내리는 비를 바라보며
따듯한 커피 한 잔을 마신다
내리는 비에
노란 송홧가루
깨끗하게 씻겨 나가고
그리고
내 속에 번민도 씻겨 나가길

그래도

그래도

봄은
온다.

그렇게,

소리 없이.

하얀 눈 같은 너였구나

너였구나,
차가운 골방 구들장 위에 덩그러니 앉아있어도
내 가슴 따뜻하게 만든이가

너였구나,
치열한 삶 속에 여기저기 상처뿐인 내 인생
소리 없이 내려와 포근하게 감싸주던 이가

그렇게 너는
나의 어두운 밤을 하얗게 만들고
순백의 고결함으로 온 세상의 허물을 덮어주고
차가운 공허함도 찬란하게 만들었구나.

너였구나, 하얀 눈 같은.

가을에는 1

숨 막히는 계절을 뒤로하고 떨어지는 낙엽들은
출렁이는 물결처럼 부스럭대며 춤을 춘다
내 가슴에 쌓이는 상념들은 찬바람에 긴 한숨을 삼킨다

아련히 기억될 따스한 햇볕, 두 손 가득 잡아본 하늘에
휑한 나뭇가지 사이로 비친 햇살은 눈 부시고
반짝이던 눈빛으로 서로를 바라보던 벤치에는
지나온 사랑만큼 낙엽이 쌓였다

몇 번의 계절을 보내고 다시 찾은 익숙한 그곳에는
수줍은 듯 고백하는 내가 있고,
두 손 부여잡고 눈물짓던 내가 있다

애태웠던 수많은 추억들이 반가운 것은
우리의 사랑이 이 자리에 머물고
그 자리에 변함없이 낙엽이 쌓이고
그리운 너의 모습 이곳에 가득하기 때문이다

가로수길 손잡고 거닐던 그날처럼 내 심장이 쿵쿵 뛰고
바람 따라 일렁이는 낙엽들이 춤을 춘다

아, 가을이다
너도 나와 같을까

가을 어느 하루

가을 어느 하루
온종일
눈부시게 푸른 하늘과
두 눈 가득 찬 햇살과
시원한 바람과
단풍 든 낙엽까지
완벽한 날
눈부신 그대를
온 가슴으로
사랑하고 싶다
오늘은

가을이 오면

가을이 오면
더욱 사랑하게 해주세요
다시는
그런 사랑 만날 수 없을 듯
간절하게 사랑하게 해주세요
나뭇가지 매달린
그리움 모두 떨어질 때까지
내 사랑 가을 끝까지 사랑하게 해주세요
마지막 잎새 바람에 떨어진다 해도
다시 그 계절이 돌아올 때까지
그 사랑 고이 간직하게 해주세요

가을에는 2

청춘같이 발랄한 여름을 뒤로하고
미련 없이 떨어지는 낙엽들은
출렁이는 물결처럼 부스럭대며 이리로 저리로 춤을 춘다
소리 삼키고 떨어지는 뜨거웠던 날의 부스럼들은
다가올 찬바람에 긴 한숨을 삼킨다

아련한 기억이 될 따스한 햇볕 두 눈 가득 담아두려
바라본 하늘에 휑한 나뭇가지 사이로 비친 햇살은
눈물처럼 더욱 빛나고,
몇 번의 같은 계절을 보내고 다시 찾은
그 자리, 그곳에는 여전히 싱그럽던
그 시절의 우리가 있다

그리고
이 가을, 온전히 너로 가득 찬 내가 있다
너도 가끔은 나와 같은 생각을 하고 있을까

소나기

비가 내린다
스무 살
포플러 나무 아래
흠뻑 젖은 채 환한 웃음 반짝이는 청춘

거기에 너와 내가 있다
그날처럼 비가 내리고
이내 햇살 비출 때면 생각난다
이유 없이 행복했던 그때를

제3부 삶의 흔적들

살아가는 동안
나는 너에게
어떤 의미가 되고 싶었다

딸에게 보내는 편지

수많은 시간 중 어느 날
우리에게 찾아온 반짝이는 별
엄마 품에 안겨 포근하게 잠든
너의 모습 보며,
아빠를 찾고 엄마를 찾는
행복한 미소가 번진다.

꼼지락대는 고사리 같은 손으로
긴 머리카락 꼬면서 뒹굴뒹굴 우유를 마시고
유치원에서 배운 노래들을 종달새처럼
들려주던 초롱초롱했던 너를 보며
세상 누구보다 행복했단다.
우리에게 찾아온 보석 같은 너이기에
줄 수 있는 건 오직 사랑뿐이기에
소중한 우리가 함께하기에.

시간이 흘러 이제 어른이라는 무게에
때론 힘들고 때론 외롭다고 느낄 때면

너를 사랑으로 안아줬던 엄마를 생각해
너로 인해 행복해했던 아빠를 기억하렴.
사랑을 받고 자란 너이기에 사랑을 알고
행복을 안겨준 너이기에 항상 행복해야 해.
젊은 날, 우리의 꿈이었고 기쁨이었던 너.
우리의 소중한 딸, 사랑한다.

산에 오르며

산에 오른다
맑은 계곡물과 산 새 소리에 취해
절로 발걸음이 가볍다
마음속의 온갖 번뇌를 잊으려 무심으로 오르는 산
한참을 그렇게 걷다가
어디로 가야 하는지 방향을 잃었다
마치 내 삶의 이정표가 사라지듯
주변에는 길의 흔적도 사람의 그림자도 보이지 않는다

오직 그렇게 바람 소리와 이름 모를 것들의 소리뿐
내 마음속엔 정적이 흐른다
그렇게 오르리라 생각하고 무작정 달려왔건만
난 어느새 혼란 속에 빠져있다
삶의 가치관이 흔들리고 지나온 철학이 고개를 떨군다
한 줄기 바람이 불어온다
길 나지 않은 성난 나무숲을 헤치며 다시 오른다
얼마를 올랐을까
다시 찾은 정상의 길이 보인다

이마에 흐르는 땀방울을 식히며 먼 산을 바라본다
그렇게 참고 오르면 희망이 되고 기쁨이 되는 것임을
누가 기다려 주지 않더라도 내 마음이 행복임을
오늘따라 하늘이 더 감동이다

蘭을 바라보며

기다린 듯 초록의 향으로 맞이하는 손짓
항상 주인의 손길을 기다리는 가녀린 몸짓
언제 올까
조심조심 속살을 비추며
한 모금 이슬을 머금고
실바람에 간지러운 듯 몸을 흔든다
심장 소리마다
발걸음 소리마다 귀 기울이며
묵묵히 자라는 나의 사랑들
세상에 시름도
이 공간에는 없어라
너와 나의 무언의 대화에서 마음의 허물을 벗는다

우리 모두는 바쁘다

모두들 바쁘다.

언제부턴가 만나서 이야기를 나누기보단 할 말만 하고 바삐 돌아간다. 타인의 입장과 상황을 외면한 채, 자기 말만 하고 총총히 사라진다.

전화 통화보단 간단한 문자메시지로 의사를 전달하고, 편지보단 SNS나 메일로 소식을 전한다. 보든 안 보든, 받든 그렇지 않든 중요하지 않다. 그냥 내가 보냈다는 게 중요하다. 보낸 기록이 남아있기에 그렇게 사람들은 남보다 자신을 더 생각하고, 그렇게 쉼 없이 돌고 돈다.

어디를 향해 가는지 알지 못하지만, 그냥 바쁘다고만 한다.

잠시 다른 이의 말에 귀를 기울일라치면, 수없이 많은 생각들이 머릿속에 피어오른다. 마치 지금 하지 않으면 안되는 큰일인 것처럼 머릿속엔 온통 다른 생각들뿐이다.

오랜만에 만난 친구는 지금까지 어떻게 살았는지는 이야기를 하지 않고 이제 곧 결혼한다는 말만 이야기한다. 만나지 못한 세월 동안 어떻게 살아왔는지, 어떻게 해서 이 여인을 만나 결혼까지 하게 되었는지, 지나온 추억들은 마치 잊혀진 것처럼 서로가 그렇게 지나온 세월처럼 아무 이야기도 하지 않는다. 묻지도 않는다.

돌아서면 남인 것을, 그냥 그 자리에서 웃고 떠들기만 할 뿐, 총총히 사라지는 그의 뒷모습과 나의 앞에 놓인 길에는 그 멀어진 거리만큼이나 침묵이 쌓인다.

무엇이 이렇게 우리를 바쁘게 만들었으며, 서로의 이야기보단 나만의 이야기를 하려 했으며, 과거의 추억을 공유하는 것이 미래의 다가올 일을 걱정하는 것보다 가치가 없어졌든가.

한 걸음 한 걸음 디디는 발걸음의 속도만큼이나 천천히 주위를 돌아보며 아, 벌써 목련이 활짝 피고, 벚꽃이 봄볕을 받으며 팝콘 튀기듯 튀어 올라올 듯 몽우리 지고, 그 척박한 보도블록이나 갈라진 아스팔트 사이로도 초록의 새싹을 피우는 생명이 있다는 것을 알 수 있는, 느낄 수 있는 여유가 있었으면 좋겠다.

차를 타고 갈 때 신호등 없는 건널목에서 손을 번쩍 들며 지나가는 해맑은 어린아이의 총총걸음을 느긋하게 지켜봐

주는 만큼의 여유를, 초보운전을 커다랗게 보이는 운전자의 뒤를 따라가더라도 그 늦음에 화나지 않고 나도 저런 적이 있었음을 추억하며 배려해 주는 마음의 여유가 있으면 좋겠다.

지금의 이 순간도 내가 보낸 어제와 다를 바 없는데, 이 순간 헛되고 바쁘게 보내기만 한다면 다가올 내일도 그냥 바쁘고 헛되이 보내는 날이 될지도 모른다.

때론, 쉼표도, 느낌표도, 말 줄임표도 써가면서 느껴보고 생각하고 뒤돌아보고 살자.

러닝머신에서 빠른 속도를 하고 뛰는 사람은 절대 뒤를 돌아볼 수 없다. 그건 무척 위험한 일이기 때문이다. 속도를 줄이고 여유를 가져야만 숨 고르기도 하고 뒤를 돌아볼 여유도 생기는 것이 아닐까?

인생도 마찬가지다. 잠시라도 쉼이 필요하다. 지금 계속 달리는 것은 같은 자리를 지키려는 것뿐이다. 잠깐의 여유를 갖자. 그리고 다시 뛰어보자. 지금보다 나아지려면 최소한 두 배는 더 빨리 뛰어야만 한다.

거울나라의 앨리스처럼.

저 나무들처럼

고통 없이 자라는 나무가 어디 있으랴
세찬 바람에도 흔들리고,
거센 눈보라에도 꿋꿋하게 버티며
뜨거운 태양 아래에서도 묵묵하게 자리를 지키는 저 나무도
피할 수 없는 어려움을 겪고 자라는데

아픔 없이 맺는 열매가 어디 있으랴
추운 겨울을 지내고, 이글거리는 태양 아래서
숨을 헐떡이며
세월없이 내리는 장대비에 꽃잎이 날려도
찬란한 열매를 맺기 위해 온갖 시름을 견디어야 하는데

사람 사는 세상에 어디 즐거움만 있을까나
말하지 못하는 저 나무들도
원치 않는 고통에 시달리는데
말하기 좋아하는 비열한 세상살이에
어디 행복한 일만 있을까

그래도,
우린 뜨거운 태양을 피하는 법과
거센 눈보라와 추운 겨울에 대처하는 법과
거센 장대비에 젖은 옷을 말릴 줄 알지 않는가?

저 나무도 저렇게 아픔을 참고 성장하고,
열매를 맺고 꽃을 피우는데
우리의 인생도 한 걸음 뒤에서 바라보면 아무 일도 아닐 텐데
한고비 한고비에 묻어나는 한숨만 쌓이는구나

한 세상, 그저 좋은 생각으로 착하게 살며
다른 사람 아프지 않게 살아가도 모자란 세상인데
왜 우린 찰나의 세상에서 욕심을 부리고 살아가는지

나도 저 나무들처럼 살고 싶다

감사의 마음

때로는 아무것도 아닌 일에 감사할 때가 있다.
아침이 밝아오고
맞춰놓은 알람 소리에 눈을 뜨고
하늘엔 태양이 비추고
가슴 가득 큰 숨을 쉴 수 있고
출근길에 불어오는 간지러운 바람처럼
늘 있어왔던 것들에

당연하듯이 느끼는 것들이
아무것도 아닌 듯 그냥 스쳐 지나왔던 것들에
감사할 때
어제는 죽을 만큼 힘들었어도
오늘 내가 살아있음에
사소한 일상에 감사하다

매일 쳇바퀴 같던 생활 속에서도
매일 오가는 길목마다 보이는 것들에
매일 내 곁을 지나가는 낯익은 이웃들에

한 번도 들르지 않았지만 그 카페의 커피향에
무뚝뚝하지만 친절한 버스 기사님에게
감사하는 마음이 절로 나올 때
깊은 희열을 느낀다

내가 살아 있다는 것
내가 느낄 수 있다는 것
이런 일들이 정말 벅차게 감사하다

잠 못 드는 밤

무슨 상념이 그리 많은지
잠 못 들고 뒤척이다 끝내 일어났다.
세상 어려움 다 혼자 지고 있는 듯
머릿속엔 딱 부러진 걱정거리 없는 듯하건만
이런저런 잡다한 생각들이 실타래처럼 얽혀 있다.
하나하나 꺼내어 보지만
딱히 해결될 수도 없는, 아니 잠시만의 생각으로는 어찌할 수 없는 것들이건만
거실로 나와 정수기에서 한 잔의 물을 내려 마시고
이내 컵에 반쯤 남은 물을 조심스레 마신다.
바라본 창밖은 사람 하나 없는 고요한 풍경이다.
아파트 숲속엔 비상구에 켜져 있는 불빛들만
창문 사이로 비치고
규칙적으로 켜져 있는 등만이 고즈넉이 어둠을 밝힌다.

아무리 생각해 봐도 딱히 눈앞에 있는 근심은 없는 터
왜 이리 잠 못 드는 밤이 잦은지 이유는 모르겠다.
낮에 마신 커피 탓을 해본다.

아니, 커피탓이 아니라, 나도 모르는 나의 근심들이 내 머릿속에는 가득한 듯하다.
애써 외면하고 아니라고 부정하지만 부정하면 할수록
눈덩이처럼 커진 근심은 또 다른 걱정을 낳고
그 걱정거리는 이내 나를 잠 못 들게 하는가 보다.
거실엔 냉장고 돌아가는 소리가 들리고 이내 그 소리 그치면 째깍째깍 벽시계의 초침 소리가 들린다.
벽시계의 초침 소리는 항상 같은 소리를 내지만
더 큰 소리 때문에 들리지 않을 뿐이다.
내 마음속에도 항상 잦은 근심과 걱정은 있지만
때때로 만나는 큰 근심으로 인해 잠시 망각하고 있을 뿐.
그래도 내가 이렇게 근심하고 있다는 것은
열심히 살고 있다는 방증이다.
누구인들 걱정이 없으랴.
모두 그렇게 나름의 근심을 안고 산다.
그런 근심이라도 있어야 작은 행복도 소중하게 생각하고 평범한 일상이 얼마나 소중한지 알게 되는 것일게다.

나이 든다는 것

나이와 열정은 비례하지 않듯이

나이는 들어도 사랑은 푸르고
몸은 늙어가도 사랑하는 마음은 청춘이어라

주름진 이마에 한숨은 쌓여가도
미소 띤 입가에 웃음은 사랑이어라

늙어감에 대한 서러움보다는
사는 동안 운명 같은 사랑을 만난 것에 기뻐하며

사랑으로 흘린 눈물은 보석보다 더 찬란하리니
어제보다 오늘이
오늘보다는 내일이 더 행복하여라

인생이란 1

그땐 그렇게 힘들고 아파했는데
지나고 나니
그 아픔도 추억이더라

그땐 그렇게 기쁘고 행복했는데
지나고 나니
그 즐거움도 잠깐이더라

우리의 삶이란 그렇게
힘든 것만도 행복한 것만도 아니다

그렇게 반복되는 것이 인생이더라.
그래서 인생은 모른다는 게 정답이더라

성장통

몸의 근육도 아파야 성장하듯이
마음의 상처는
마음의 근육을 성장시킨다
그래서
우린 가끔 아파해야 한다
그렇게 아프다 보면
결국, 무뎌지겠지
그래도
너로 인해 아파해야 하는 건 정말 싫다

잘하고 있어요

어제 일로 상심하고 있나요?
너무 자신을 책망하지 말아요.
지금도 당신은
충분히 최선을 다하고 있어요

너무 잘 하려 하지 마세요
그냥 하면 돼요
너무 잘하려고 해서 맨날 힘든 거예요
견딜 수 있는 무게만큼만 견뎌요
그것만으로도 당신은 충분히 잘한 거니까

인생이란 2

인생은 자기를 찾아가는
여행이라 생각해
네가 하고 싶은 것을 해
네가 가고 싶은 곳으로 가
남이 원하는 거 말고,
우리에겐 꿈꿀 수 있는 자유가 있고
무엇이든 할 수 있는 무대가 있어
세상은 그런 너를 원해
남의 기준대로 살지 말고
너의 생각대로 살아
오늘도 그랬듯이
내일도 변함없이
시원한 바람이 불고
햇살이 비출 거야

청춘

힘들다.

어렵다.

그래도,

청춘은 언제나 눈부시고 아름답다

추운 겨울을 견디고

마침내 찬란한 꽃을 피우는 봄꽃처럼

청춘은 그래서 아름답다

인생의 가장 뜨거움으로

가득 찬 그대여

견디기 벅찬 아픔과 시련이 너를 채워도

그 뜨거움으로 다 녹여버리고

마침내 아름다운 꽃을 피우리니

감사해라 지금의 고통을

즐겨라 지금의 번민을

맘껏 울어버려라 지금의 아픔에

다시는 너에게 오지 않을 푸르른 시절이기에

지금이 바로 청춘이다

취중진담

너무 많은 말을 했다.

남는 건

텅 빈 마음과

후회뿐.

인생이란 3

인생이 그런 것 같다
무엇인가를 하겠다고
마음먹는다고 되는 것도 아니고
뭔가를 열심히 하다 보면
기회가 찾아오고
그다음은
저절로 마련되는 것이더라

소명

하루에도 수십 번씩 이성과 감성 사이를 오간다
오늘도 고단한 하루의 끝에 서 있다.
한 가지 분명한 것은
어느 소수의 이기적인 욕심보다는
소외된 다수의 보편적인 평화를
몇 명의 불평 섞인 목소리보다는
다수의 일상적인 행복을 위하여
나에게 주어진 소명을 다하자는 것이다
정의가 사라지고 혼돈의 세상에서
가진 자에 기대어 눈감고 외면하면
나 하나 심신은 편하겠지만
내 삶의 여정을 뒤돌아볼 나이가 될 때엔
어찌 부끄럽지 않을까

내가 두려운 것

나는 지는 것을 두려워하지 않는다.
지는 것이 두려웠다면
시작도 하지 않았을 것이다.

다만,
정의롭지 못 한 일에
눈감고, 타협하고 외면하려는
그 순간이 두려울 뿐이다.

졸업

이제 사회라는 정글에
첫발을 내디딜 수 있는
자격을 부여받은 것
이제부터 또 다른 시작이다.

널 응원해

오늘 하루도 우직하게
현실을 탓하지 않고
잘 살아줘서 고마워

오늘 한 걸음 더
나아간 너의 발걸음이
희망으로
사랑으로
돌아올 거야

언제나 널 응원해

마음의 상처

얼마나 더 실망하고
얼마나 더 상처받아야
담담해질 수 있을까

수없이 많은 고뇌에도
헤아릴 수 없는 생각의 잔별들이
반짝이듯 꽃잎같이 피어나고
상처받은 가지가지마다
마디가 되어 굵게 변하는데
연약한 마음의 거듭되는 상처는
언제나 굳은살이 베어
저 꽃잎처럼, 저 가지처럼
아름답게 변하려는지

당신 탓이 아니야

고단한 하루를 보낸 당신
아무 걱정하지 말아요.
당신 탓이 아니에요
당신이 원한 것도 아니었으며
우리가 선택한 것도 아니었음을
그런 일에
상심하지 마세요.
괴로워도 마세요.
그냥 지나가는 일이니까
잠시 안갯속에 있는 것일 뿐
조금씩 걷히고 나면
햇살이 당신에게 비출 테니까요

왜 그때는 알지 못했을까

훈련소에 가서 알았다
엄마의 잔소리가 사랑이라는 것을
대학에 입학하고야 알았다
어머니의 기도가 간절하였음을

취직을 하고서야 알았다
부모님의 고단한 일상을
결혼을 하고야 알았다
아버지 어깨의 무거움을
아이를 키워가며 알았다
부모님도 지금의 나와 같았던 마음이었음을

나이가 들어서야 보였다
아버지의 굽어진 어깨를
어머니의 굵어진 손마디를
그리고 침묵이 사랑이었음을

왜 그때는 알지 못했을까

화양연화

: 인생에서 가장 아름답고 행복한 시간

화려한 도시, 아름다워도 웃음 뒤에 가리어진 슬픔
양손에 가진 것 지금 비록 없어도
연극 같은 세상에 나는 주인공이 되어
화려한 장밋빛같이 내 인생 물들이고 싶어

눈물이 흘러, 왠지 모를 슬픔이 차올라
나 자신과 했던 다짐을 다시 한번 생각해
나의 찬란한 순간은 이제 시작될 테니
누구에게나 한 번은 찾아올 아름다운 시간
그 순간 너와 함께한다면
더없는 행복은 없을 거야

지금 흐르는 땀방울, 지금 흐르는 눈물을
이제 맞이할 행복을, 이제 시작된 기쁨을
우리 소중한 시간을
우리 함께해 영원히

훈련소로 가는 날

더디 가길 바라는 아쉬움 밤은 속절없이 흐르고
짧게 잘린 머리가 어색한지 연신 쓸어내리고 올린다.
체념인 건지 적응하는 건지 다신 없을 스무 살의 나의 모습이 낯설다.

훈련소 앞에는 오늘 아침이 오지 않기를 바랐을 나를 닮은 짧은 머리의 앳된 청춘들이 가족들 틈에 초점 잃은 표정으로 건조하게 서 있고
두 손 마주 잡은 엄마의 손은 유난히 따스하다.

"울면 안 돼"
며칠 전부터 걱정스레 바라보던 엄마와 눈이 마주칠 때마다 부탁했던 말,
당신 눈물 보면 내 마음 약해질까, 나도 모르게 눈물 흘리면 그 마음 더 아파할까 애써 장한 아들로 기억되고 싶었다.

설익은 인사 하고 애써 웃음 지으며 돌아서는 발길에
붉어진 눈시울에 결국 이슬처럼 맺히는 눈물.
멀어지는 나를 바라보며 부르는 정다운 목소리 점점 희미해질 때, 뒤돌아 손이라도 흔들어 주고 싶지만 힘주어 참았던 눈물 터질까 하늘 한 번 쳐다보고 어깨에 멘 가방끈을 두 손으로 꽉 잡아맨다.

언제나 그랬듯 낯선 이곳에도 어제처럼 밤은 다시 찾아오고 어제와 다른 익숙하지 않은 공기가 이방인처럼 내 주위에 맴돈다.
가방 한편에 잡히는 책 속에, 나 몰래 넣어두었나 엄마의 손편지,
편지의 잉크색이 번지고, 내 마음도 번져 차마 다 읽지 못하고 다시 고이 접어놓는다.
하루가 저물어간다.
오늘 밤은 쉬이 잠이 오지 않을 것 같다.

케렌시아

휴일, 여유 있는 아침을 마주하며
집을 나선다
누구의 간섭도 거부하고
오롯이 나를 마주할 수 있는 곳으로
향하는 발걸음은 가볍다
햇살도 바람도 파란 하늘조차
오늘만큼은 그림 속 풍경처럼 멈춰있다
숨 가빠 움직이는 배속의 영상을 잠시 멈추듯
내가 준비하고 숨 쉴 수 있는 시간
방금 내린 커피 향이 공간을 가득 채우고
라흐마니노프 피아노 협주곡 2번을 틀고
내 육신에 자유를 준다
침묵의 시간, 가장 편한 자세로 기도하듯
지긋이 두 눈을 감는다
분주함을 벗어난 평화로운 안식의 시간
육신의 고단함과 정신적인 번뇌에서 벗어날 수 있다면
그 어느 곳이든
나만의 케렌시아

변해야 한다면

오늘은 오늘의 내가
내일은 내일의 내가 있는 거야
오늘의 내가
아무것도 하지 않으면
내일의 나는
어제의 내가 되는 거지
변화를 원하면
오늘의 나는 무언가를 해야 해
그래야 내일의 내가 그만큼 변해있을 테니까

제주도 가는 길

여행은 낯선 것과의 만남이다.
어둠이 걷히지 않은 이른 아침,
역(驛)으로 가는 버스에 오른다.
익숙한듯해도 왠지 어색한 공간,
서로의 눈을 마주치지 않는다
정거장마다 누군가 타고 내린다.
겨울 아침 찬 공기가 들어오고 한 움큼의 온기를 뱉어낸다.

눈 감은 채 흔들리며 서 있는 옆 사람의 이어폰에서는
이따금 음악이 흘러나오고
손잡이를 잡고 서 있는 앞사람은
정수리만 보일 뿐, 그 시선은 알 수 없다
건너편 의자에 앉아있는 중년의 여성은
게임을 하며 깨지 않는 잠을 쫓고 있는 듯하다.

기차 시간은 남고 편치 않은 대합실 의자에서 시간을 센다.
옆자리에 있던 여행자들이 수시로 바뀌며 자리를 찾는다.

때로는 혼자, 때로는 둘 셋이 떠나는 설렘과 만남의 기대가 교차한다.

공항으로 가는 열차에 몸을 싣는다.
이른 아침 떠나는 여행자의 마음인지 객실은 조용하고 다음 역을 알리는 역무원의 방송이 정적을 깬다.

소박한 공항역 건널목을 건너
즐비한 차들 사이로 여행자들의 조급함과 설렘이 교차한다.
그들 틈에 섞여
나는 지금 제주도에 있다.

솔직히 말해봐

솔직히 말해봐
당신은 한 번이라도 진심으로
다른 이의 아픔을 위해
정의로운 선택을 해본 적이 있는지

솔직해져 봐
당신이 한 선택이
당신만의 안위를 위한 이기심이었는지
아니면, 자신이 만든 변명거리에 설득당했는지

그리고, 살펴봐
당신의 선택으로 주변 사람이 얼마나 상처받았는지
지금 옳다고 합리화한 선택이
먼 훗날 조금이라도 후회한다면
그나마 성숙해지는 인생이지만
기억조차 나지 않는다면
당신은 평생을 보잘것없는 삶을 살고 있다는 거다

신은 늘 질문한다

세상은 공정하지도
그다지 정의롭지도 않더라
그저 우리의 바람일 뿐.
가끔
그 바람이 일어난다면
그건 신이 우리에게
믿음을 버리지 말라는 것일 거다
그런 믿음조차 없다면
험난한 세상을 어찌 살아가겠나 하는 노파심에

신은 늘 우리에게 끊임없는
숙제를 준다
수많은 선택지 중에서 무엇을 선택하든
그건 너의 뜻이었다고
수많은 갈등은 모두 신의 질문들이다
그 답은 우리가 찾아야 한다
공정하기도 하고 정의롭기도 한 세상을 위해

수능을 보고 있을 딸에게

아침 일찍 너를 시험장에 내려줄 때는 그렇게 춥고 이내 눈이 내리더니 이젠 그래도 포근한 날씨네. 우리의 인생살이가 그러하듯이 너의 고등학교 3년 생활 또한 좋은 날도 힘들었던 날도 있었으리라 생각해.
이제 그 마지막을 맞이한 우리 딸. 3년이란 시간 동안 잘 견디어 주고 잘 버티어 주고 오늘 아침까지 무던하게 애써 태연한 척 시험 보러 가는 네가 너무 대견스러웠단다. 부담이 될까 봐 잘 보라는 말도, 최선을 다하란 말도 하지 못하고 내민 손 어루만지며 책가방에 도시락 가방을 들고 가는 너의 뒷모습에 아빠도 모르게 가슴이 벅차오르더라.
자녀가 좋은 대학에 가기 위한 세 가지 조건이 엄마의 정보력, 아빠의 무관심, 할아버지의 경제력이라고 누군가 말했던 것이 생각난다. 세 가지 조건 중 만족하는 건 아빠의 무관심뿐이었던 것 같다. 변변히 학원 한 번 보내주지 못하고 여러 사정으로 "서울에 있는 대학은 어렵지 않겠니?" 라고 무심하게 내뱉은 아빠의 말에 얼마나 상처를 받았을까 하는 생각을 하니 가슴이 메어오는구나.
사랑하는 우리 딸,

어릴 적에 그렇게 귀엽고, 똑똑해서 집안에 항상 웃음을 안겨줬던 딸이, 이제 고등학교 3년 생활을 마감해 가는구나. EXO 콘서트를 보러 간다며 응원 도구도 사고 입장권도 예매하고 그렇게 설레하는 너를 볼 때도 아빠는 즐거웠단다. 힘든 고3 생활에 한 줄기 즐거움을 네가 좋아하는 EXO를 생각하며 견디어 준 것 같아서 아빠도 EXO의 디오가 좋아졌단다.

한없는 기쁨을 주는 우리 딸.

이제 남은 시간, 다소 부담은 되겠지만 편안하게 마무리하기를 바란다. 다 끝내고 시험장을 나서는 순간, 지금 이 시간을 함께하는 59만 3천 명 모든 수험생과 같이 결과가 어찌 되었든 고등학교 3년 과정을 성공적으로 잘 마무리했다는 마음으로 스스로를 격려하고 칭찬해 주었으면 한다.

사랑하는 우리 딸,

정말 고맙고, 수고했어.

제4부 기억의 습작

이런저런 생각들
우리의 삶은 유한하고
이상은 높다

말하지 않아도 알아요

그런 건 없다.
고마우면 고맙다고 말하고
미안하면 미안하다고 말하고
사랑하면 사랑한다고 말해라
말하지 않아도 안다고 해도
진실한 마음으로 표현하면
더욱더 신뢰가 가고
서로가 이해하게 된다.
길가에 핀 꽃에도 이쁘다고 말하고
푸르른 하늘 보고 감탄하고
부는 바람에도 시원하다고 말을 하는데
너의 곁을 지켜주는
그에게 왜 말을 하지 않는 건지

너나 할 것 없이
바쁜 시대를 살아가는 사람들
너의 마음까지 헤아려줄 것이라
생각하지 말고

표현해라.
그것이 훨씬 더 나으리니

너나 할 것 없이
바쁜 시대를 살아가는 사람들
말하지 않아도 알아줄 것이라
생각만 하고 있다면
그건 너의 공상에 불과하다

고맙다고 말하고, 미안하다고 말하고, 사랑한다고 말해라
그 말 한마디에
더 힘이 나고 더 기뻐하고, 더 겸손해지고
더 자랑스러워할 것이다

오만과 편견

사랑에 대해
너에 대해 모든 것을 안다는 나의 오만과
그런 오만함에 대한 너의 편견이
서로에게 조금씩
보이지 않는 거리를 만들고
그렇게 오해가 쌓여
이해하기 어렵다고 느껴질 때
우리 처음으로 돌아가자

나의 오만함 속에 숨은 진심을 찾고
너의 편견의 울타리를 걷어 내어
너의 오만조차 사랑으로 보이고
너의 편견조차 귀여움으로 느껴졌던
그 사랑의 처음으로 우린 돌아가자

너에 대해서 다 안다는 오만과
모든 것들은 다 똑같다는 편견

그 사이를 오가며
서로가 서로를 오해한다

오늘도 어제처럼 해가 뜨고
어둠이 내려앉는다

뭐 그리 특별한 것도 없는
내 인생에 들어와
나의 하루하루를 영화처럼 만들고
조금씩 나를 특별하게 만들었다
그대 앞에서는 더 좋은 내가 되고 싶고
내가 좀 더 멋지게
그런 나를 더 멋지게 만들게 해주었고
더 특별한 인생을 살게 해주었다

탈모

내 머리카락의 계절은 가을인가?

오늘도 낙엽처럼 우수수

봄은 찾아오기나 하려나

술과 인생

술은 말아 먹더래도

인생은 말아먹지 말자!

사랑에 대한 기억

그 기억은
그 사람에 대한 기억일까
그 사랑에 대한 기억일까
사람에 대한 기억은 시간이 지나면 잊혀진다지만
사랑에 대한 기억은 불치병처럼 도진다

내가 아파하는 건
그 사람 때문인가
그 사랑 때문인가
사람으로 받은 상처는 시간이 지나면 치유되지만
사랑에 베인 상처는 세월이 갈수록 더 아프다

사·마·사

당신은 매일 매 순간

사랑받아 마땅한 사람이야

괜찮아?

괜찮아?

너만 괜찮으면 돼.

세상에 너보다 더 중요한 건 없어

정말,

너만 괜찮으면 돼.

허락한 적 없다

기분이 태도가 되면 안 되듯
사랑이 구속이 되면 안 된다
미련이 사랑이 되면 안 되듯
미움이 이별이 되면 안 된다
사람이 나를 대하는 방식은 내가 허락한 것이다
난 너에게 허락한 적 없다.

똠방각하

: 1990년 방송한 MBC 드라마, 최기인의 소설.

똠방의 원래 뜻은 '톰방거리고 쏘다닌다'에서 온 말로 아무 데나 아는 체하고 나대며, 마치 자기가 최고인 양 머리보다 행동이 앞서는 사람의 행동거지를 말한다.

이러한 똠방에게 완장을 채워주면 엄청난 권력을 지닌, 자기가 가진 권력을 마음대로 교묘하게 휘두르는 각하가 된다. 바로 "똠방각하"다.

똠방은 보란 듯이 완장을 차고 그동안 억눌려왔던 동물 본능 그대로 자기의 행동을 표출하며 오지랖도 넓게 이일 저일에 참견하고 다니면서 그 위세를 뽐낸다. 누가 몰라주기라도 한다고 생각하거나 반대라도 할라치면 왼쪽 팔뚝에 찬 완장을 톡톡 치면서 자기가 누구라는 걸 과시하며 천방지축 입에 거품을 물며 날뛴다.

시대가 흘렀음에도 아직 곳곳에서 똠방각하들이 완장을 차고 날뛰고 있다. 물론 자기가 그런 것임을 알 리가 없는 똠방들은 자기만의 궤변을 늘어놓고 자기가 하는 말이나 행동들이 늘 정의롭다고 생각하니 안하무인일 수밖에 없다.

지금도 내 주위에 우리 주변에 우리 사회에 그런 사람이 있다는 것은 참 안타까운 일이다. 그 사람들의 궤변은 늘

그게 정의고 봉사고 솔선수범이고 속한 조직과 사회를 위해서라고 한다. 자신 주변인의 불편함과 어려움과 고통과 불쾌함 따위는 아랑곳하지 않는다. 왜냐하면 그런 똠방들이 바라보는 곳은 오직 한 곳, 완장을 채워준 또는 그것에 힘을 실어준 그 무언가에만 충성하기 때문이다. 결국, 그런 똠방들의 철없는 행동들이 미래에 자기 자신을 옥죄고 있음을 서서히 끓어오르는 냄비 속에 개구리처럼 그렇게 유영하다 몸이 마비되어 옴을 느끼고서야 후회하지만 그땐 이미 늦었다는 것을….

내가 할 수 있는 일이란 그런 불쌍한 똠방, 왼쪽 팔뚝에 완장을 찬 똠방들의 황폐한 영혼을 위해 기도하는 것밖엔 없는 것인가.

시지프스 운명

시지프스는 신들의 눈 밖에 나 영원히 벗어날 수 없는 형벌에 처해진다. (그의 죄명은 신을 조롱했다는 것)

시지프스의 형벌은 산의 정상을 향해 커다란 바위를 굴려 올려놓는 것이다. 돌이 굴러떨어질 것을 알면서도 거기 정상이 있기에...

우리는 모두 시지프스다. 인생이 그렇듯이.

무엇을 얻었고 성취했나 싶으면 다시 저 밑바닥으로 굴러떨어지는 바윗돌처럼, 그럼 우린 다시 처음부터 천천히 바윗돌을 굴려 정상을 향한다.

영원히 끝나지 않는 반복이며 삶이 그러하듯이,

바위를 다시 정상으로 올리는 고통의 시간을 보내야 하고, 결국 정상에서 다시 내려가는 바윗돌을 보며 다시 올릴 걱정으로 고통스러워한다.

그러나, 알베르 카뮈의 "시지프 신화" 에서 그는 시지프스를 운명에 굴복하지 않는 영웅으로 그려낸다. 시지프스는 바윗돌을 굴려 정상에 올려놓은 것을 고통이 아닌 삶의 성취감으로 생각하고, 정상에서 다시 굴러떨어지는 바윗돌을 바라보며 수고한 자에게만 허락되는 휴식으로 생각했을지 모른다는 것이다.
현실의 굴레 속에서도 체념을 반복하는 것이 아니라 지금에 누릴 수 있고 느낄 수 있는 것들을 즐길 수 있는 긍정의 삶을 살자.

마음의 상처

컨디션이 좋지 않아서인지 3일 전쯤부터 혀끝에 상처가 났다. 이 자그마한 상처 때문에 말하기도 식사를 하기도 힘들다. (비타민 부족?) 겉으로 봐서는 멀쩡하지만 보이지 않는 이 자그마한 상처가 이처럼 사람을 힘들게 하다니….

이렇게 작은 상처만으로도 힘들어하는데, 보이지 않는 마음의 상처는 얼마나 힘이 들까? 드러나지도 않는 아픔으로 남들도 모르게 고통받는 사람들을 생각해 본다.

나는 과연 잘하고 있는지를….

바람이 분다

바람이 분다. 살아봐야겠다.
옳은 걸 옳다 하고 그른 걸 그르다 해야 하는데
옳은 걸 옳다고 하는 사람은 있어도
잘못된 걸 잘못됐다고 말하는 사람은 없다.
비정상이 정상처럼 되어 버린 왜곡된 세상인 것 같다.
폴 발레리의 말처럼,
바람이 분다. 살아봐야겠다.

이젠 더 이상

너로 인해 모든 게 달라졌다.
너와 함께한 모든 시간은 기억에 묻고
이젠 새로운 마음을 잡아본다.
많은 사람을 떠나보냈다.
많은 추억을 날려보냈다.
많은 희망을 잃어버렸다.
이젠 더 이상
우리의 삶을 다른 이의 손에 맡기지 않겠다.
너는 비록 지키지 못했지만
이제 우리는 다시 시작할 것이다.
그리고
무슨 일이 벌어져도
네 잘못이 아니다.
앞으로 다가올 너의 미래가
언제나 빛나는 태양처럼
찬란하게 펼쳐지길 바란다.

노력 없이는 그 무엇도

생각해 보라.

피땀 없이 얻을 수 있는 것이 있는가?

고통 없이 얻을 수 있는 것이 있던가?

만약 그런 것이 있다면,

그건 당신이 노력하지 않아도 원래 얻어지는 것이거나,

정상적이지 않게 획득한 것이었으리라.

쉽게 얻으려 하지 마라.

정말 값진 것은 쉽게 얻어지지 않는다.

황제펭귄들처럼

누군가 널 위하여 기도하듯
누군가 널 대신해 앞장서 투쟁한다면
너는 그를 욕되게 하지 말고
오히려 그를 추앙하고 경외하라

넌 한 번이라도 너 자신 말고
누군가를 위해 앞장서서
투쟁한 적이 있는가?

넌 누군가에게 한 번이라도
뜨거운 사람이었던가?
혼자보다는
우리가 되어 더 뜨겁게 만들어야 한다
그 자리에 그렇게
버티어 주는 것만으로도
큰 힘이 되어줄 수 있고
온기를 나눌 수 있다
황제펭귄들처럼

어린이날이면

어린이날이라도 나에게 특별할 건 없는 휴일이지만, 문득 예전 어릴 때 추억이 생각나곤 한다.

어린이날, 특별한 선물도, 여행도 갈 수 없는 형편에 그날만큼 기대했던 것은 어머니가 사주시는 짜장면이었다.

동네 중국집에서 점심에 우리 형제를 데리고 가 허겁지겁 입 주위에 온통 짜장 범벅이 되어가며 먹는 우리를 쳐다보시며 얼굴에 살포시 미소를 지으시곤 하셨던 어머니,

그때의 어머니는 이제 할머니가 되셨고, 나도 어린이날을 편하게 보낼 수 있는 나이가 되어 버렸다.

어버이날 가족끼리 모여 식사를 할 때마다 어머니는 손주들에게 그때 기억을 말씀하시곤 한다. “얘들아, 아빠가 짜장면을 얼마나 좋아했는지 아니? 어린이날에는 짜장면이 최고였지” 하시면서 아마, 어머니도 지금의 나처럼 당신의 젊은 시절을 생각하시리라.

1년마다 돌아오는 날이지만, 그날만이라도 어머니는 30대의 젊은 엄마로 돌아간다.

오늘은 아이들을 데리고 짜장면을 먹으러 갈까?

(아마 어려울 거라 생각된다.)

그리고 어버이날에는 내가 먼저 그날 맛나게 먹었던 짜장면 이야기를 해야겠다. 잠시라도 어머니가 즐거우셨으면 좋겠다.
어머니, 사랑합니다.

멋진 사람은

나이가 들어갈수록 멋지게 변하는 사람이 있다.
예전에 그저 평범하게만 보였던 사람이 세월이 흐른 후
다시 만나면 얼굴엔 잔잔한 미소가 베여 있고
말에는 기품이 있으며 행동도 가볍지 않은 데다가 항상
배려가 있는 사람이다.

그 반대로 추하게 변해가는 사람도 있다.
가까운 거리에서 그 사람의 말과 행동을 겪어보면
말은 짧고 예의가 없으며, 손익에 민감하고, 배려가 부족하
며 주변 사람의 아픔을 외면하고 자기 자신만을 위하는
사람이다.
명품과 고가의 액세서리로 치장을 해도 추한 사람에게서는
더러운 악취가 풍기게 마련이고
비록 누추하게 차려입어도 멋진 사람에게서는
세련된 사랑의 향기가 그윽하다.
그 사람의 얼굴이,
그 사람의 눈빛이,
그 사람의 미소가,

그 사람을 말한다.

세월 속에 살아온 방식이

관계 속에 가졌던 생각이

지금까지 읽었던 책들이

살아오며 만났던 사람이

지금 그사람을 말한다.

어떻게 자신이 변하게 될 것인지 궁금하면,

지금 자신이 만나는 사람이 누구인지

지금 자신이 읽고 있는 책이 무엇인지

지금 자신이 가진 생각이 무엇인지

지금 자신이 결정해야 할 상황에서 어떤 것을 선택하려는지

지금 자신이 다른 사람을 배려하고 있는지 이용하고 있는지

지금 자신을 돌아보라.

답은 현재의 자신에게 있다.

눈높이에 맞게

모든 것이 분명해졌다.

혼자만의 아련한 정 때문에 붙잡고 있었던 한 줄기의 기대가 부질없는 일이었음을.

내가 생각했던 상대의 품격이 과장된 허상이었음을,

처음부터 그런 상상은 만들어진 허구이었음을,

이제야 알 것 같다.

나를 변하게 하는 건 나 스스로이기도 하지만,

상대가 갖고 있는 닫혀있는 프레임이기도 하다.

상대가 갖고 있는 그 프레임에 맞게 행동하고, 그 수준에서 생각하고 보여줘야 한다.

삐뚤어진 눈에는 모든 것이 그렇게만 보일 뿐,

내가 아무리 바르게 보여주려 해도 소용없는 일일 것이다.

눈높이에 맞는 격식과 품격으로 당신을 대하는 것이 서로 부담이 없을 것이니,

상대의 부담을 줄여주는 것도 배려임을 생각하며 단순하게 살자.

고마운 미소

오늘 같은 날, 모든 직원이 나름 자기들만의 행복에 젖은 날, 나를 많이 걱정해 주시던 그분이 생각납니다.

왜 그 어려운 길을 가려하냐고, 왜 하필 자네가 하려고 하느냐고 하시던. 끝내 설득을 못 하시고 뒤돌아 웃음 지어주시던 그분이 그립습니다. 아마도 그분께서는 이렇게 마음 고생을 하리라는 걸 미리 예상하셨나 봅니다.

모두가 자기 나름의 행복에 취해있을 때 느껴야 하는 쓸쓸함과 고독을 말입니다. 모두에게 동일하게 돌아가는 혜택은 특별한 행복이 아니라고 생각하나 봅니다.

자기에게 오지 않은 기회에 대해서만 불평할 뿐.

그래서, 모두가 행복할 때 또 누군가는 외로움이 더 큰가 봅니다. 한 사람은 모두를 위해 고군분투하지만, 모두는 한 사람에게 고맙다는 말 조차 해주지 않습니다. 나 아닌 누군가가 하겠지라는 생각 때문이겠지요. 아니면, 당연한 것이라 생각하기 때문이겠지요. 아마도 다시는 뵙지 못할 그분만큼은 저 하늘나라에서 그때처럼 고개를 끄덕이며 미소 짓고 계실 거라 생각합니다.

'잘했어 강 박사, 수고했네!'라고….

지금이 힘들다면

삶에는 항상 기복이 있고 변화가 있기 마련이다.
지금이 힘들다고 생각되면 과거 어려웠던 일 중 이겨낸 추억을 생각해 보라. 그것도 견디었는데 이거쯤이야.
난 나를 가끔 어렵게 만드는 데 주저하지 않는다.
그 과정을 견디면 견딜수록 난 더 강해질 테니, 자연스럽게, 내보이지 않더라도 마음의 여유가 일 것이다.

힘든 일을 참고 견디어 내면 내 속에 무엇이든 이겨낼 수 있는 알 수 없는 기적의 힘이 솟아난다.
지금이 힘들다면 더 힘들고 어려운 일을 찾아라
그 과정을 이기면 다른 것은 아무것도 아닐 것이다.

소박한 기쁨

지난가을, 모닝커피를 핸드드립으로 마시려고 커피 그라인더를 구입하고 적당한 원두를 사기 위해 아내와 저녁 산책 겸 오랜만에 도란도란 이야기를 나누며 로스팅을 잘한다는 동네 집 근처 커피점을 다녀왔다.

그날부터 아침에는 늘 거실에 커피 향이 그윽하게 나기 시작했다. 얼마 걸리지 않는 시간이지만 그라인더로 커피를 갈 때 퍼지는 커피 향이 좋았고, 내린 커피를 아내와 아이들까지 좋아하니 나까지 기분이 좋았다.

즐겨 마시다보니 겨울이 시작될 즘 사다 놓은 원두가 다 떨어졌고, 아내는 전에 갔던 로스팅 잘하는 커피점에 같이 다녀오자고 했다.

곧 그러마 했지만, 이래저래 바쁜 생활에 잊고 지내다 볼 일이 있어 우연히 그 커피점 앞을 지날 때 생각이 나서 원두를 구매했다. 얼른 집에 가서 아내가 좋아하는 원두를 내려줘야겠다는 생각에 절로 미소가 지어졌다.

저녁 식사를 하고 한가하게 TV를 보고 있는데, 아내가 살포시 미소를 지으며 언제 시간 날 때 원두를 사러 가자며 이야기를 건넨다. 그제서야 가방 속에 사가지고 넣어놓았던 커피 원두가 생각이 났다. 하지만 나는 그날 구매한 가방 속의 커피 원두를 꺼내지 못했다. 아내는 커피를 사러 가는 것이 목적이 아니라 그 길을 나와 함께 걷는 그 순간이 좋아서라는 것을 건넨 말속에서 느낄 수 있었기 때문이다. 아내의 그 소박한 기쁨을 깨뜨릴 수 없었다.

그러마 약속을 하고 나도 모르게 눈시울이 뜨거워짐을 느꼈다. 뭐가 그렇게 바쁘다고 인생을 살았는지, 세상일 내가 다하는 것도 아닌데 정작 곁에 있는 아내를 위해 변변히 시간을 내지 못한 내가 미웠다. 조만간 그때 걸었던 그 길을 아내와 함께해야겠다. 또다시 아침에 우리 집 거실은 커피 향과 더불어 아내의 즐거움이 함께하겠지.

강의를 마치며

한 학기 강의를 시작할 때 혹은 종강할 때 학생들에게 늘 해주었던 말이 있다.

그건 수업을 떠나서 선생으로서 또는 인생의 선배로서 혹은 세월이 흐른 뒤에 후회를 최소화하기 위한 것으로 마지막 간절한 부탁이기도 했었다.

첫째는 책을 많이 읽으라는 것이었다.

대학에서 배우는 학문이란 어찌 보면 가야 할 길을 안내해주는 시작에 불과한 것이기 때문이다. 세상은 아는 만큼 보이고 보이는 만큼 즐길 수 있다고 하지 않던가. 독(讀)해야 산다. 교보문고 광화문 글판에 새겨졌던 이 글귀를 좋아한다.

"지금 네 곁에 있는 사람, 네가 자주 가는 곳, 네가 읽는 책들이 너를 말해준다."

둘째는 관계의 중요성이었다.

우리는 살면서 많은 사람을 만난다. 사람이 사람을 만난다는 것은 얼마나 경이로운 일인가.

"사람이 온다는 건 실은 어마어마한 일이다. 한 사람의 일생이 오기 때문이다."

톨스토이는 항상 세 가지 질문을 가슴에 담고 살았다고 한다.

첫째, 가장 중요한 사람은 누구인가? 둘째, 가장 중요한 일은 무엇인가? 셋째, 가장 소중한 시간은 언제인가?

우리 모두는 그에 대한 해답을 알고 있다.

그 답은, 지금 내 앞에 있는 사람, 지금 내가 하고 있는 일, 그리고 지금 이 순간이라는 것을 여러분도 가슴에 담고 살았으면 좋겠다.

지금도 잊지 않고 기억을 하고 있을지, 또 그렇게 살아가고 있을지, 아니 그렇게 가끔 생각하고 있기를 바란다.

어느 누구라도.

저자의 말

주저리주저리 내뱉는 말이 어지럽다.

어느 것 하나 쓸모없는 단어들과 단어들이 혼재하여 내가 무슨 생각을 하고 있는지도 정리가 되지 않는다. 그렇게 늘어놓는 내 마음의 소리가 뒤섞여 말도 되지 않는 글들이 팝콘 튀기듯 사방으로 흩어진다.

짧게 또는 길게 흩어진들 팝콘기안에 있는 그것들은 고소한 냄새들을 풍기며 시선을 끈다. 이런저런 이유로 보기 좋게 적당히 부풀어진 팝콘을 가득 담아 향을 맡고 맛을 본다. 누구는 고소한 맛에 누구는 의식하지 않고 또 누구는 그 바삭한 소리에 익숙해진 채 손이 간다.

나와 그대의 시(詩)도 그렇다.

딱히 정제되지 않은 수많은 단어들과 문장들이 그렇게 뒤엉켜 튀겨지면 누구는 간결하다고 누구는 담백하다고 누구는 품격 있다고 느낀다. 난 그저 그때 느꼈던 내 마음의 단어들을 팝콘기에 넣고 기다리면, 길고 짧은 알 수 없는 거리만큼 한정된 공간에서 고소한 향을 내며 솟구치고 있다.

시는 공감(共感)이다.

많은 시들을 읽어보고 공감하려고 애쓴 적이 있다. 그러나, 쉬이 공감되지 않는다고 해서 자신을 책망하지 않는다. 그건 마음이 하기 때문이다. 사람들이 좋다고 하는 시도 내가 공감하지 못하면 그냥 문장에 지나지 않는다. 내가 읽었을 때 느껴지는 지금 순간의 공감. 이것이야말로 내가 받아들일 수 있는 시라 생각한다. 해석도 제각각이다. 아니 오히려 그 해석을 통해 공감을 강요당하기도 하다.

시인은 그냥 글을 쓰고, 독자는 읽는다. 공감은 오롯이 독자의 몫이다. 한 줄의 글귀라도 읽는 이에게 공감받기를 바란다. 끝으로, 내 기억도 사랑이기를 이란 제목처럼 스치고 지나간 모든 사람들을 사랑으로 기억하고 싶다. 또 다른 의미로 나를 기억하는 모든 사람들도 나를 사랑으로 기억되기를 바라는 마음이다.